Feiliúnach do pháistí ó 8 mbliana go 11 bhliain

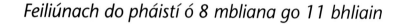

Ba é Oxford University Press a d'fhoilsigh a chéaduair sa bhliain
1996 faoin teideal *Winnie in Winter*.

© Léaráidí, Korky Paul 1996
© Téacs, Valerie Thomas 1996
© Rialtas na hÉireann, an leagan Gaeilge 1998

ISBN 1-85791-273-X

Seosamh Ó Murchú a rinne an leagan Gaeilge

Printset & Design Tta a rinne an scannánchló i mBaile Átha Cliath.
Arna chlóbhualadh sa Bheilg.

Le ceannach ó Oifig Dhíolta Foilseachán Rialtais,
Sráid Theach Laighean, Baile Átha Cliath 2, nó ó dhíoltóirí leabhar.
Nó tríd an bpost ó:
Rannóg na bhFoilseachán, Oifig an tSoláthair,
4-5 Bóthar Fhearchair, Baile Átha Cliath 2.

An Gúm, 44 Sráid Uí Chonaill Uacht., Baile Átha Cliath 1

Korky Paul *agus* Valerie Thomas

Cití sa Gheimhreadh

Bhí Cití Cailleach ar crith leis an bhfuacht.
Bhí brat sneachta ar an ngairdín.
Bhí an t-uisce reoite agus coinnle reo
anuas as na díonta.
'Táim bréan den gheimhreadh,'
arsa Cití.

Tháinig Smúróg isteach trína dhoraisín féin.
Bhí a cosa fliuch agus coinlíní reo ar a
fhéasóg.
Bhí Smúróg bréan den gheimhreadh
freisin.

Go tobann, bhuail smaoineamh Cití.

Thóg sí anuas an leabhar ina raibh na focail draíochta scríofa agus thosaigh á léamh.

Tamall ina dhiaidh sin chuir sí uirthi a cóta olla, a hata, a
buataisí sneachta, a lámhainní agus a scaif.
Rug sí ar a slat draíochta agus amach léi.

Bhí a chóta fionnaidh ar Smúróg cheana agus ghabh sé amach
freisin. Bhí tuairim aige go raibh rud éigin spéisiúil ar tí titim
amach agus theastaigh uaidh é a fheiceáil.

Dhún Cití a súile.

Sheas sí ar a barraicíní, d'ardaigh sí a lámh.

Chroith sí a slat draíochta go tréan cúig huaire

agus bhéic:

TUPARNA TAPARNA, TURNAPA TROM

Agus … cad é mar dhraíocht!

Láithreach bonn bhí an spéir gorm agus an
ghrian ag taitneamh ar theach Chití.
Bhí an sneachta go léir imithe.
Ní raibh an geimhreadh ann níos mó
thart ar theach Chití.
Bhí sé ina shamhradh buí.

Bhain Cití di a cóta, a hata,
a buataisí sneachta, a lámhainní agus a scaif.
Fuair sí a cathaoir ghréine agus amach léi sa
ghairdín ag déanamh bolg le gréin.
'Tá seo go haoibhinn,' arsa Cití.
'Is fearr liom go mór an samhradh.'

Luigh Smúróg faoin ngrian agus é ag crónán.
'Is fearr liom go mór an samhradh ná an
geimhreadh,' ar seisean leis féin.

Ar fud an ghairdín bhí na hainmhithe beaga ag dúiseacht. Músclaíodh iad as codladh an gheimhridh agus ní mó ná sásta a bhí siad.

Siúd amach ar an bhféar iad ag méanfach. 'Tá sé róluath don samhradh fós,' a dúirt siad. 'Is mian linn dul ar ais a chodladh.'

Go dtí sin bhí na bláthanna ina gcodladh
faoin sneachta.
Láithreach bonn dhúisigh siad agus thosaigh
siad ag fás – na duilleoga ar dtús agus na
bláthanna ina dhiaidh sin.

Ach bhí an ghrian ró-the dóibh.
Chrom siad a gceann.
Bhí na bláthanna áille ag fáil bháis.

Bhí Cití buartha.
Níor thaitin samhradh álainn Chití leis na
bláthanna ná leis na hainmhithe.

Ansin chuala sí an fothram …

Chas Cití thart agus cad a bhí taobh thiar di
ach slua mór daoine.
Bhí siad go léir ag déanamh ar a teach.

Phlódaigh siad isteach ina gairdín.
Bhain siad díobh a gcótaí, a hataí,
a mbuataisí, a lámhainní agus
a scaifeanna.

Shuigh siad amuigh faoin ngrian.
Shiúil siad ar bhláthanna Chití.
Chaith siad craicne oráiste ar an bhféar.
Chuaigh siad ag lapadaíl i linn Chití.

Tar éis tamaill ní raibh aon áit do Chití ná do
Smúróg sa ghairdín. Isteach leo sa teach agus
d'fhéach amach an fhuinneog.

Bhí an gleo gránna.

Bhí an áit ina chiseach.

Tubaiste a bhí i samhradh álainn Chití.

Ansin chuala Cití fuaim ait eile.

Ceol gligíneach …

Bhí uachtar reoite á dhíol sa ghairdín.

Bhí Cití ar buile ceart.
Rug sí ar a slat draíochta.
Rith sí amach.
Bhuail sí a cos ar an talamh, dhún sí a súile.
D'ardaigh sí a lámh.
Chroith sí a slat cúig huaire agus:

TUPARNA TAPARNA, TURNAPA TROM!

D'imigh an ghrian. D'imigh an spéir ghorm.
Thosaigh sé ag cur sneachta. Chuir na daoine
orthu a gcótaí, a hataí, a mbuataisí, a lámhainní
agus a scaifeanna …

agus rith siad abhaile. Chuaigh na hainmhithe ar ais a chodladh. Chuaigh na bláthanna ar ais faoin talamh go dtiocfadh an t-earrach.

Chuaigh Cití agus Smúróg
ar ais sa teach.
Réitigh Cití muga cócó agus
bonnóg the di féin.
Bainne te a bhí ag Smúróg.

Ansin isteach le Cití sa leaba go deas compordach.
Bhí Smúróg ag crónán go sásta ar an súsa.
'Nach te teolaí atáimid anseo,' arsa Cití.
'Tá an geimhreadh go hálainn freisin.'